ISBN : 978-2-07-059991-2
Titre original : *The Journey*
Publié pour la première fois par Flying Eye Books, un imprint de Nobrow Ltd, Londres
© Francesca Sanna 2016, pour le texte et les illustrations
Tous droits réservés.
© Gallimard Jeunesse 2016, pour la traduction française
Numéro d'édition : 299600
Loi n° 49-956 du 16 juillet 1949 sur les publications destinées à la jeunesse
Dépôt légal : février 2016
Imprimé en Lettonie
Maquette édition française : Laure Massin

Partir Au-delà des frontières

Francesca Sanna

GALLIMARD JEUNESSE

J'habite avec ma famille dans une grande ville près de la mer.
Pendant des années, nous avons passé presque tous nos week-ends d'été à la plage.
À présent, nous n'y allons plus. Car notre vie a changé à tout jamais...

La guerre est arrivée.
Jour après jour, des malheurs s'abattaient autour de nous
et bientôt notre monde a basculé dans le chaos.

Et puis, la guerre a emporté mon papa.

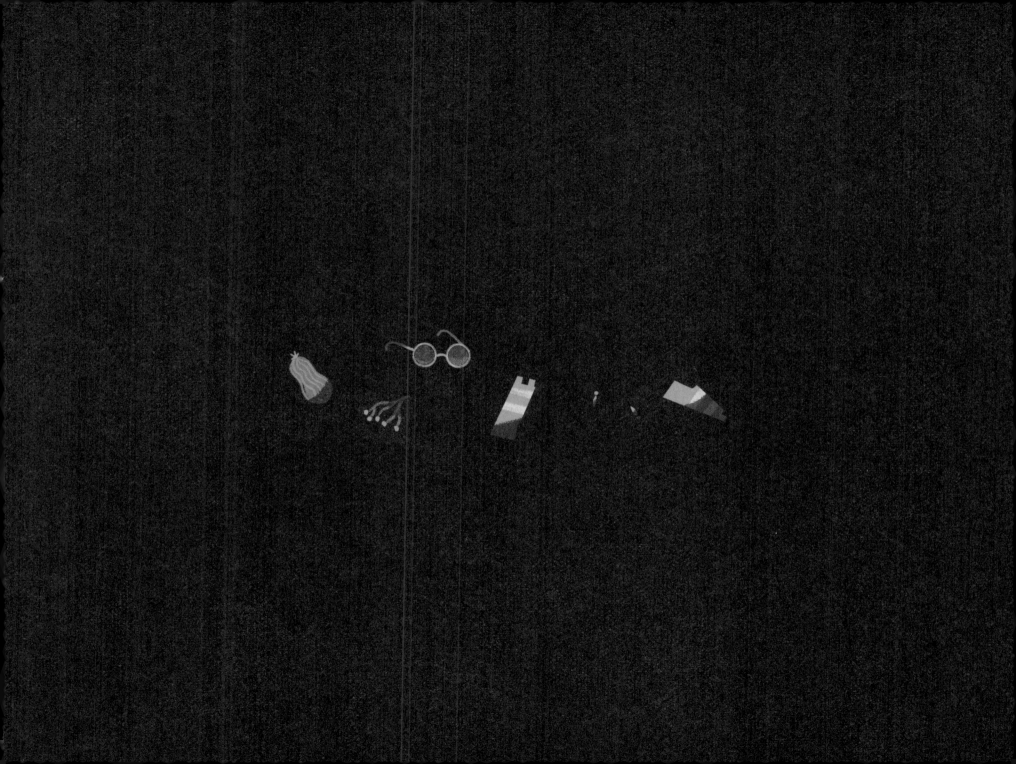

Notre avenir est devenu très sombre.
Ma mère se faisait énormément de souci.

Un matin, une amie lui a parlé d'un pays
où de nombreuses personnes ont décidé de fuir.
Un pays lointain, avec de hautes montagnes.

– Qu'est-ce que c'est, ce pays ?
avons-nous demandé.
– Un endroit où nous serons en sécurité,
a répondu maman.
– Et c'est loin d'ici ?

Ma mère nous montre des photos de villes étranges, de forêts et d'animaux inconnus. Elle soupire.
– Il faut partir, là-bas nous n'aurons plus peur.

Mon frère et moi, nous n'avons pas envie de quitter notre maison.
Mais maman nous assure que ce sera comme une grande aventure.
Alors nous rassemblons nos affaires dans des valises,
puis il est temps de dire adieu.

Nous partons de nuit, pour passer inaperçus.

On roule sans arrêt pendant plusieurs jours.

De plus en plus loin...

et de plus en plus démunis.

Enfin nous parvenons à la frontière.

Il y a un mur immense,
infranchissable,
et pourtant nous devons l'escalader.

Oh NON !

Un garde surgit, énorme, en colère, il crie :
– Vous n'avez pas le droit, allez-vous-en !

Mais nous n'avons nulle part où aller.
Et nous sommes à bout de forces.

La nuit, les bruits de la forêt
me terrifient.

Heureusement,
maman est là.
Elle n'a jamais peur.
Alors nous fermons
les yeux pour dormir
un peu.

Nous sommes réveillés par des cris.
Les gardes !
Ils nous cherchent partout.

– Vite, par ici !
chuchote maman.

Nous courons à perdre haleine, et voilà qu'apparaît
un homme, inconnu, qui propose de nous aider.
Ma mère doit lui donner beaucoup d'argent
et il nous fait passer le mur.
Il fait nuit, personne ne nous voit.

La frontière est derrière nous et pourtant, nous sommes encore très loin.
À présent, la mer s'étend sous nos yeux à perte de vue.
Comment allons-nous faire ?

On trouve un petit bateau pour traverser.
Mais nous sommes tellement nombreux !
On est serré et il pleut tous les jours.
Nous nous racontons des histoires de poissons géants,
qui attendent que notre bateau chavire
pour nous dévorer !

Le bateau tangue et secoue, les vagues sont immenses !
On dirait que la mer ne finira jamais.
On essaie de se rassurer, avec de nouvelles histoires,
en imaginant très fort ce pays, là-bas,
avec ses forêts vertes, loin, loin de la guerre.

Quand le soleil revient enfin, nous apercevons la terre !
Le bateau s'approche en silence. Maman dit que nous avons
beaucoup de chance d'être encore tous là.
– Ça y est, on est arrivé ? je demande.
– Presque, dit-elle.
Elle sourit mais je vois bien la fatigue dans ses yeux.

Plusieurs jours et plusieurs nuits encore, nous avançons, passons d'autres frontières.

Par la fenêtre d'un train, j'observe une nuée d'oiseaux qui semblent nous suivre...

Ce sont des oiseaux migrateurs.
Comme nous, ils font des kilomètres, traversent les pays,
mais eux ne connaissent pas les frontières...

J'espère que bientôt, comme ces oiseaux,
nous trouverons un endroit pour nous.
Une maison bien à l'abri,
où nous pourrons reprendre notre vie.

Note de l'auteur

Ce livre est né de ma rencontre avec deux jeunes filles, dans un centre pour réfugiés en Italie. À leur contact, j'ai réalisé tout ce que ce voyage représentait dans leur vie. Alors je me suis mise à rassembler des informations sur les migrations, j'ai interrogé beaucoup de monde, de pays différents. Quelques mois plus tard, en septembre 2014, quand j'ai commencé mes études d'illustration en Suisse, je savais déjà que je voulais créer un album racontant ces histoires vraies. Presque tous les jours nous entendons parler de « migrants » et de « réfugiés », mais rarement de leurs itinéraires personnels. J'ai voulu rendre hommage, dans ce livre, à toutes ces personnes, à leurs parcours particuliers, et à la force incroyable dont ils témoignent.